Facail agus Dealbhan

Heather Amery

Dealbhan le Stephen Cartwright

A' Chàidhlig le Acair

Co-chomhairliche sa Bheurla: Betty Root

Deasaichte sa Bheurla le Jenny Tyler agus Mairi Mackinnon

Deilbhte sa Bheurla le Mike Olley agus Holly Lamont

 Tha tunnag bheag bhuidhe anns gach dealbh – lorg i!

An rùm-suidhe

Dadaidh

Mamaidh

balach

 nighean

 leanabh

 cù

 cat

3

Ɗ' aodach

brògan

drathais

geansaidh

bheasta briogais t-siort stocainnean

An Cidsin

aran

bainne

uighean

ubhal

orainsear

banana

A' sgioblachadh

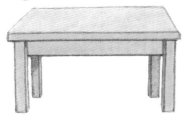

bòrd

sèithear

truinnsear

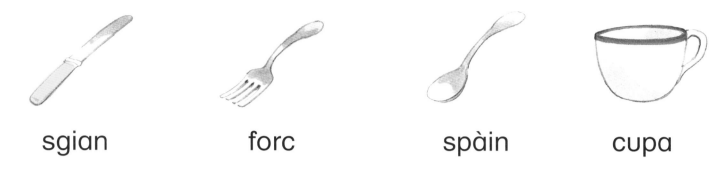

sgian   forc   spàin   cupa

A' cluich

each

caora

bò

 cearc muc  trèana  breigichean

A' dol a chèilidh

Seanmhair Seanair slioparan

còta

dreasa

ad

A' phàirce

craobh

dìthean

greallagan

bàlla

 slaod

 bòtannan

 isean

 bàta

An t-sràid

càr

baidhsagal

plèana

làraidh

bus

taigh

Partaidh

bailiùn

cèic

gleoc

reòiteag   iasg   briosgaidean   suiteis

A' snàmh

gàirdean

làmh

cas

casan   òrdagan   ceann   màs

A' dèanamh deiseil

beul

sùilean

cluasan

sròn   falt   cìr   bruis

Anns a' bhùth

dearg   gorm   uaine

buidhe　　　pinc　　　geal　　　dubh

Anns an amar

siabann

searbhadair

toidhleat

amar

mionach

tunnag

Àm cadail

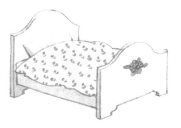

leabaidh

lampa

uinneag

doras

leabhar

doile

teadaidh

Maidsig na facail ri na dealbhan

ad

bainne

bàlla

banana

bheasta

bò

bòrd

bòtannan

càr

cat

cèic

cù

doile

forc

geansaidh

gleoc

iasg

lampa

leabhar

leabaidh

orainsear

reòiteag

sgian

stocainnean

teadaidh

trèana

tunnag

ubhal

ugh

uinneag

A' cunntadh

1 aon

2 dhà

3 trì

4 ceithir

5 còig

1 aon   2 dhà   3 trì   4 ceithir   5 coig

A' chiad fhoillseachadh sa Bheurla anns a' chruth seo 2015 le Usborne Publishing Ltd., Usborne House, 83-85 Saffron Hill, Lunnain EC1N 8RT. www.usborne.com © 2015, 1988 Usborne Publishing
Air fhoillseachadh sa Ghàidhlig 2003 agus 2008 le Acair Earranta   A' chiad fhoillseachadh sa Ghàidhlig anns a' chruth seo 2018 le Acair, An Tosgan, Rathad Shiophoirt, Steòrnabhagh,
Eilean Leòdhais HS1 2SD   info@acairbooks.com   www.acairbooks.com   © an teacsa Ghàidhlig Acair 2018   Na còraichean uile glèidhte.   Chan fhaodar pàirt sam bith dhen leabhar seo
ath-riochdachadh an cruth sam bith, a stòradh ann an siostam a dh'fhaodar fhaighinn air ais, no a chur a-mach air dhòigh sam bith, eileactronaigeach, meacanaigeach, samhlachail,
clàraichte no ann am modh sam bith eile gun chead ro-làimh bhon fhoillsichear.   Tha Acair a' faighinn taic bho Bhòrd na Gàidhlig.   Chuidich Comhairle nan Leabhraichean am foillsichear
le cosgaisean an leabhair seo.   Gheibhear clàr catalog CIP airson an leabhair seo ann an Leabharlann Bhreatainn.   LAGE/ISBN   978-1-78907-002-6   Clò-bhuailte ann an UAE